昆虫绘

好斗乐师 / 付赛男/编著 韩 蕾/绘

蟋蟀

精细手绘本

陕西新华出版传媒集团

未来出版社

图书在版编目（CIP）数据

好斗乐师——蟋蟀 / 付赛男编著. -- 西安 ： 未来出
版社，2019.7
　（昆虫绘）
　ISBN 978-7-5417-6762-3

Ⅰ．①好… Ⅱ．①付… Ⅲ．①蟋蟀—少儿读物 Ⅳ.
①Q969.26-49

中国版本图书馆CIP数据核字(2019)第111667号

昆虫绘 好斗乐师——蟋蟀（精装）
KUNCHONG HUI　HAODOU YUESHI　XISHUAI

丛书统筹	魏广振　王小莉
责任编辑	杨雅晖
装帧设计	书虫文化
出版发行	陕西新华出版传媒集团　未来出版社
地　　址	西安市丰庆路91号　　邮　　编　710082
电　　话	029-84288458
开　　本	889mm×1194mm　　1/12
印　　张	3
字　　数	20千字
版　　次	2019年8月第1版
印　　次	2019年8月第1次印刷
印　　厂	陕西博文印务有限责任公司
书　　号	978-7-5417-6762-3
定　　价	29.80元

斗蟋蟀

斗蟋蟀又叫斗蛐蛐儿，是老北京家喻户晓的娱乐活动。人们通常会选两只体形相差不大，后腿长、身体强壮的雄蟋蟀，让它们相互争斗。

地理分布

蟋蟀的分布地域极广，几乎全国各地都有，夏末秋初，在杂草丛生的地方总能看到它们的身影。

月光下，一只小虫子在"咕噜咕噜咕噜咕噜，哩哩哩哩……"地叫着。

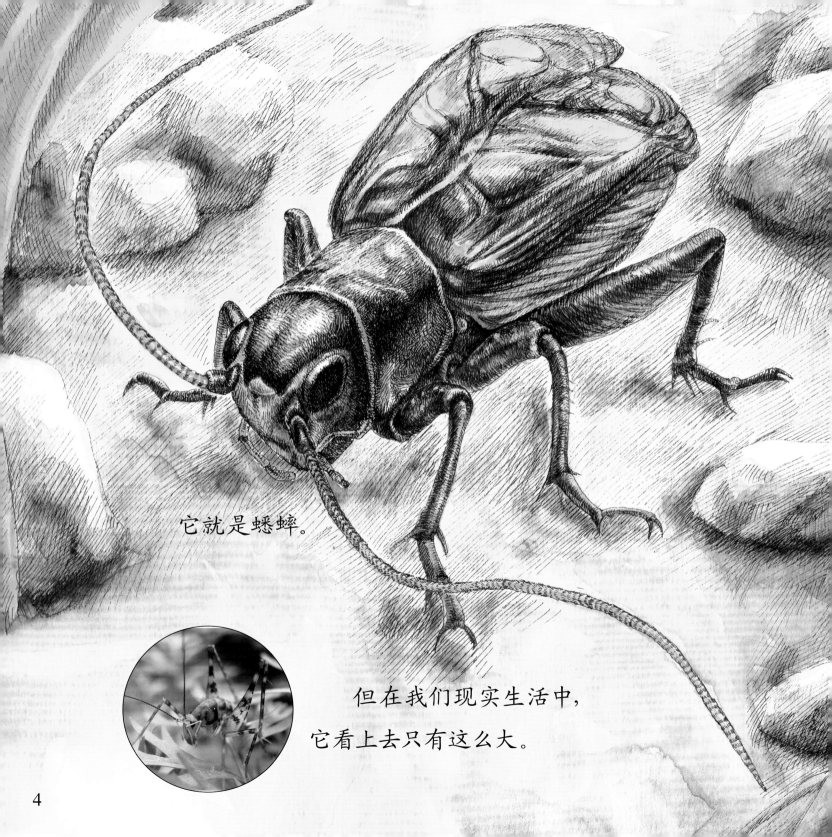

它就是蟋蟀。

但在我们现实生活中，
它看上去只有这么大。

蟋蟀的翅膀非常特别，它通过双翅的摩擦发出鸣叫声。

蟋蟀只有雄虫会叫，雌虫是不会叫的。雄蟋蟀的翅膀上有花纹一样的脉络，上面有许多锯齿状的纹，然后两片翅膀一张一合，就能发出各种各样的声音。"咕噜咕噜""哩哩哩哩"，每一种叫声都有不同的含义哦。

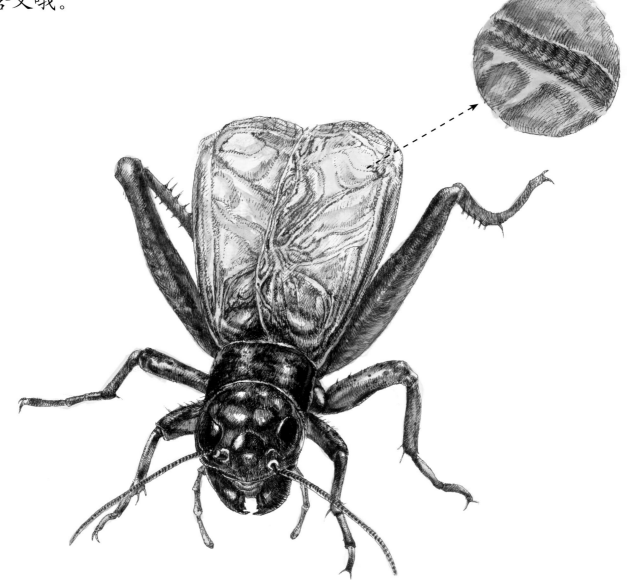

听，它"喊里，喊里，喊里"地叫起来了，它在说什么呢？

它在警告外来者："快离开这里，快离开这里！这是我的地盘！我的地盘！"可另一只蟋蟀没有理会它的警告。看，它们打起来了！

最终我们的蟋蟀赢得了这场战斗，外来
者灰溜溜地逃走了。

"哩哩，哩哩！"我胜利啦，胜利啦！我
们的蟋蟀大声鸣叫，耀武扬威，开心极啦！

作为胜利者,它很容易就得到了雌蟋蟀的喜爱。很快,
它们就结婚了。

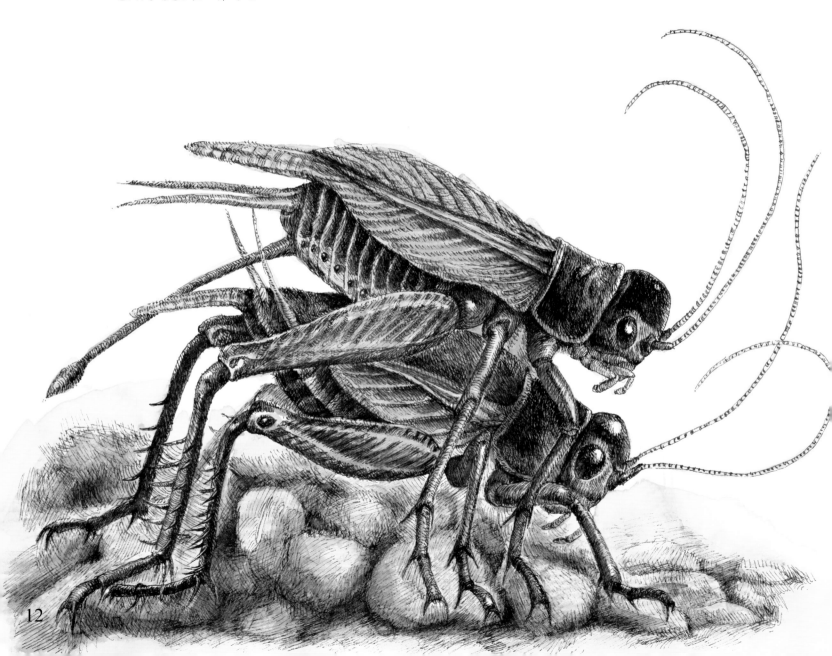

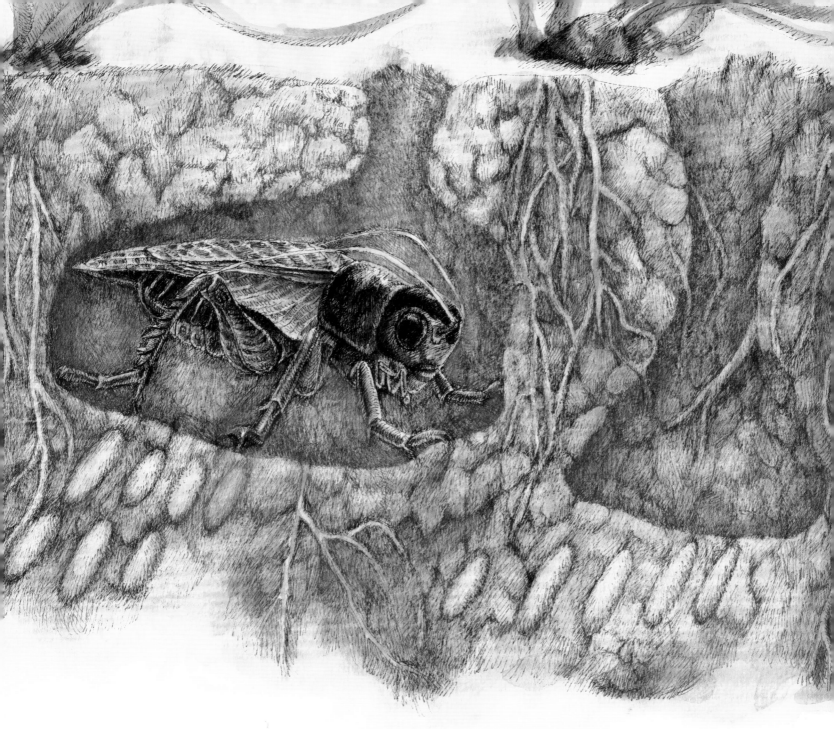

不久，雌蟋蟀产卵了，它把卵产在了雄蟋蟀已经在土壤里准备好的产房里。

可惜没过多久，冬天就来了，大部分植物都凋谢了，食物越来越难找了。很快，蟋蟀们一只接一只地死去了。

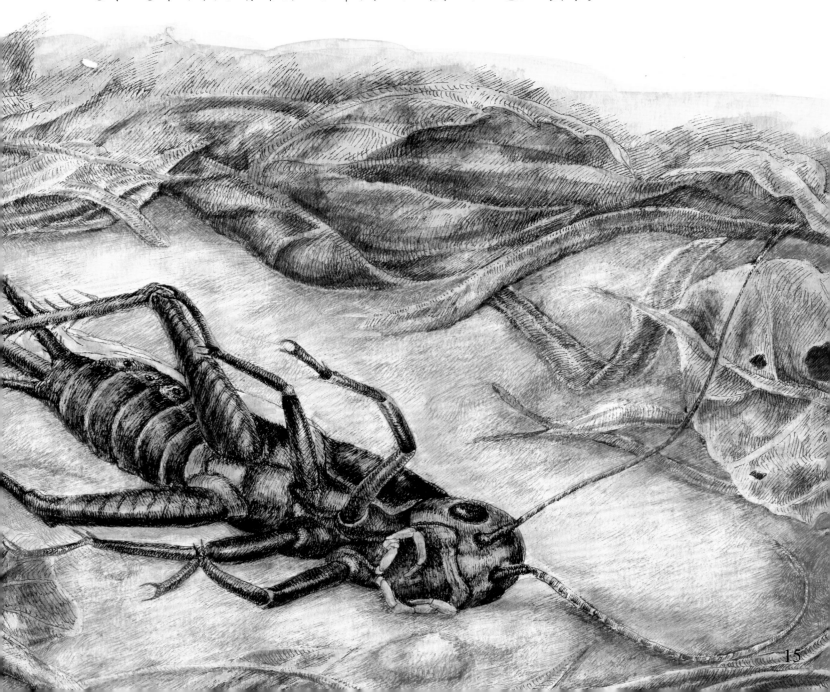

但好在它们的孩子都安全地藏在土壤里。

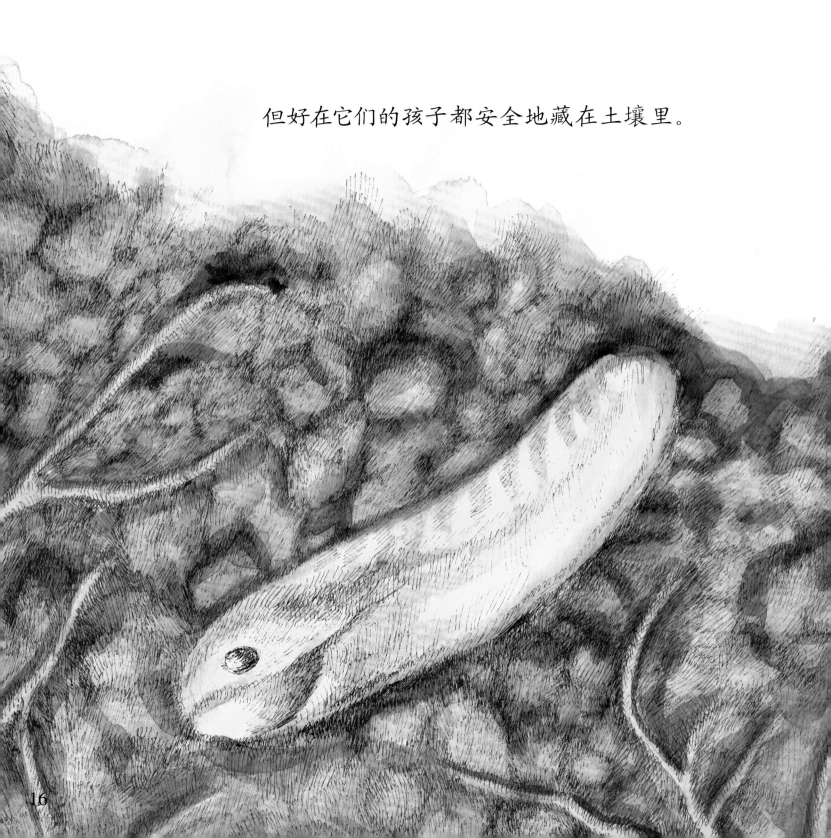

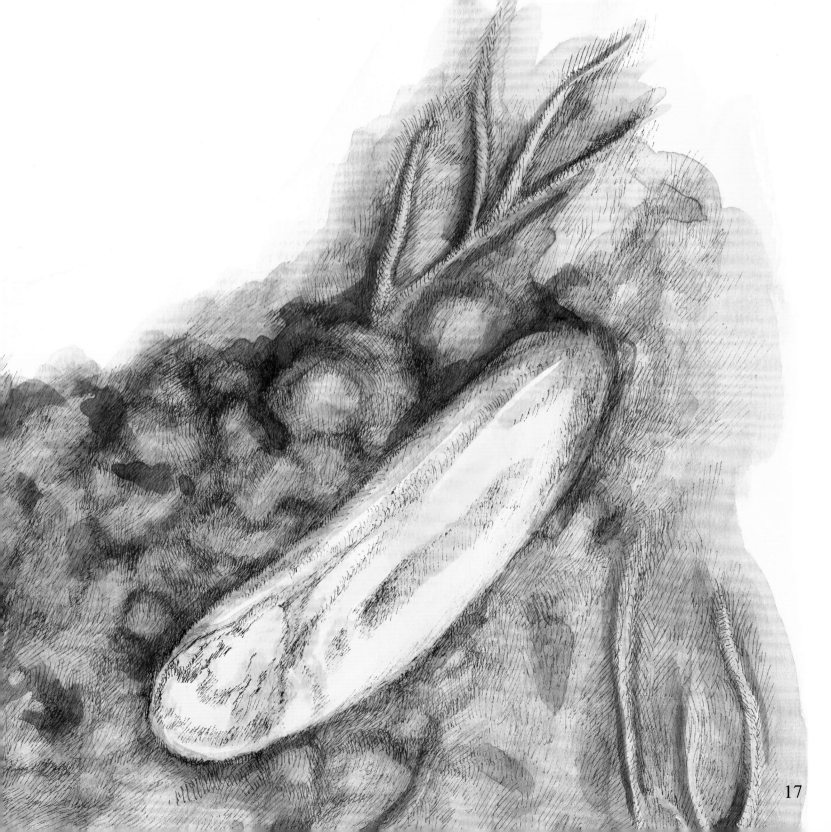

17

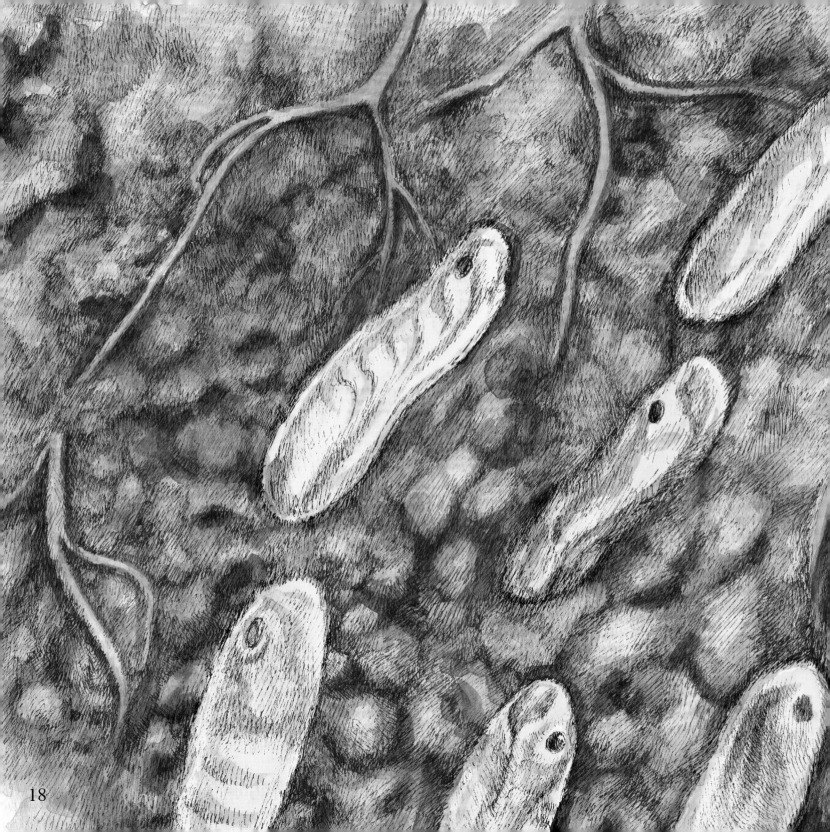

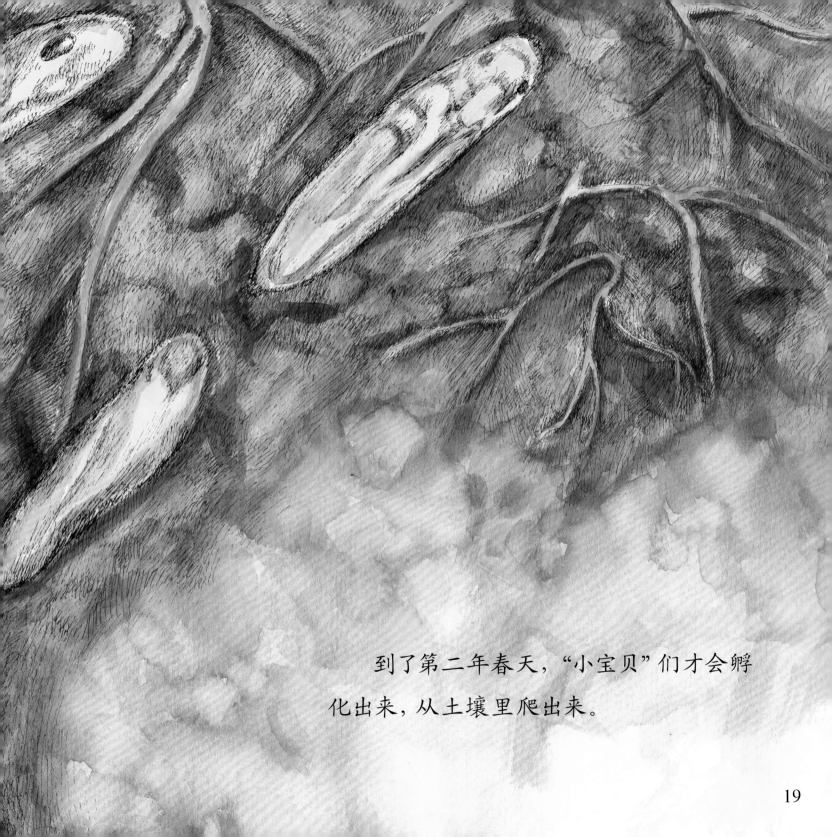

到了第二年春天，"小宝贝"们才会孵化出来，从土壤里爬出来。

刚出来时，它们的身体呈浅褐色。不久，它们变样了，慢慢地和它们父母的身体一样黑了。

可这时候也很危险，要知道，它们还没有真正长大，这个世界上有许多动物都是它们的天敌。

看，如果不小心，蜥蜴和蚂蚁
都不会放过它们的。

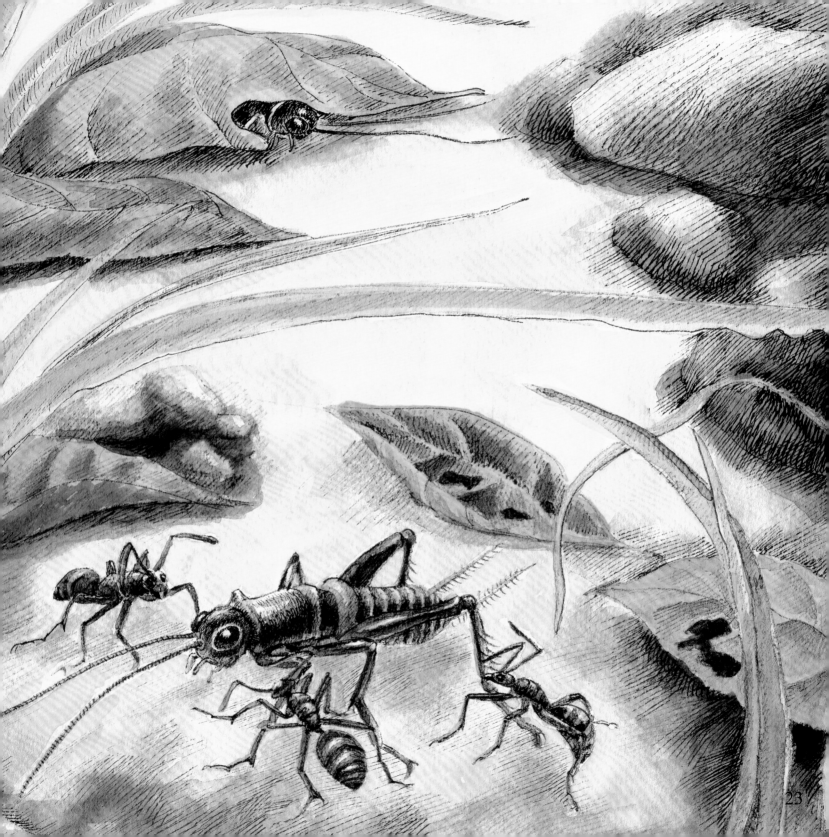

蟋蟀宝宝们什么都吃，植物枝叶、种子、果实，它们不挑食。很快，到了它们最重要的蜕皮时间，等这一次它们蜕完皮，就真正长大了。

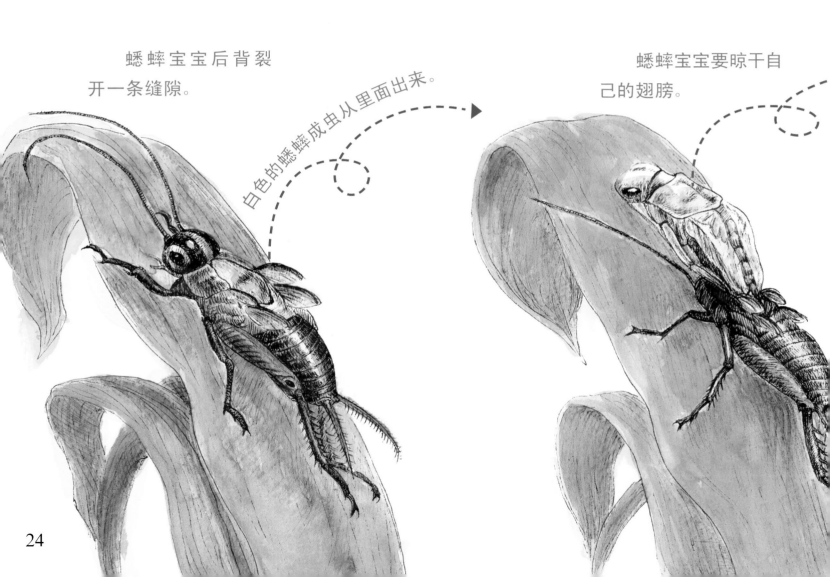

蟋蟀宝宝后背裂开一条缝隙。

白色的蟋蟀成虫从里面出来。

蟋蟀宝宝要晾干自己的翅膀。

大约五个小时后，蟋蟀宝宝变成了
黑色，就成为成年蟋蟀了。

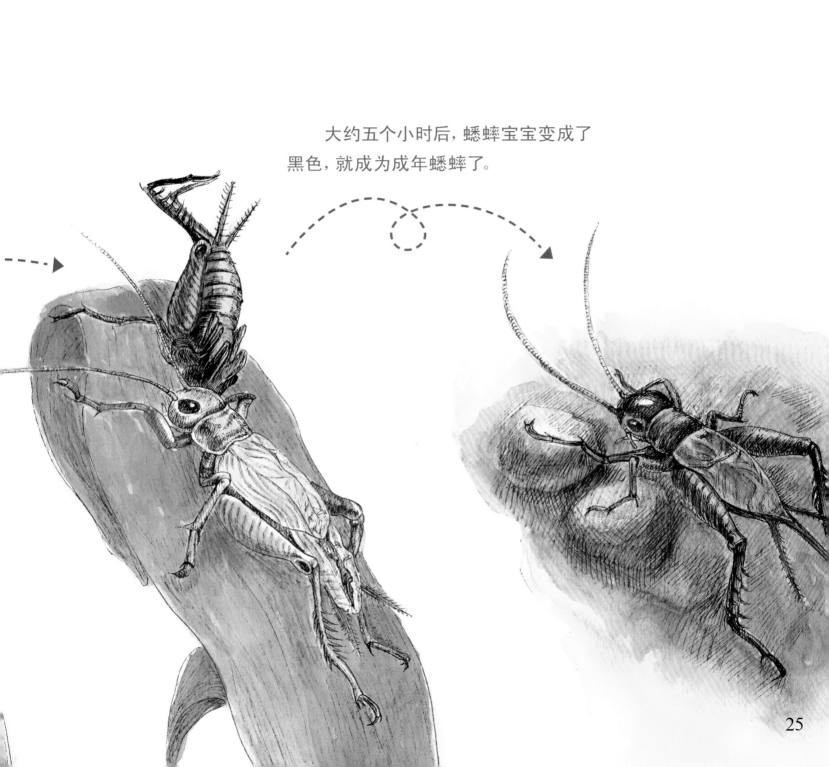

现在，它们都是成年蟋蟀了，它们要各自离开，
去寻找自己心爱的姑娘，建造自己的家。

27

蟋蟀如何打败对手?

1. 猛烈振翅为自己鼓劲, 也是为了灭对手的威风。

2. 头顶, 脚踢, 牙咬。

3. 不断旋转, 寻找有利的攻击位置。

4. 失败者逃出罐子, 胜利者高竖双翅, 傲气长鸣。

轻松阅读,解放父母

孩子面对大自然中许多可爱的小昆虫,总有问不完的问题;家长面对这些"为什么",有时可能会感到有些无助。现在有了《昆虫绘》——这套高颜值的科普手绘本,或许会帮您化解一些尴尬。

这套书中,有喜欢唱歌的雄蝉;有华丽变身的菜粉蝶;有勤劳团结的蚂蚁;还有演奏高手蟋蟀和铁嘴锯工天牛……

书中赋予每个昆虫情感和思想,从而让小读者有了不一样的阅读体验——既能闻到菜粉蝶飞舞时泥土的芬芳,感受到阳光下蝉儿歌唱时的欢乐,也能听出夜晚蟋蟀鸣叫时的得意,又能体会到蚂蚁和蝉在地下的孤独,以及小天牛啃食树木时的可恨……

书中展示的小小世界,是只有孩子的眼睛才能观察到、孩子的心才能体会到的。这些可爱的小虫虫,不论它们是益虫还是害虫,都有各自独特的生活习惯和性格特点,它们在用自己的方式,展示着与众不同的能力,共同装点着大自然的春夏秋冬。

本丛书找到了文学创作和知识阐述之间的结合点，用精巧的构思让科普和童话得到了很好的融合；通过穿插的故事、适度的注释和专业的讲解，帮助读者了解有关书中主角更全面的科普知识，仿佛不经意间带领读者一起发现了大自然的秘密。

1～8岁是孩子一生中的"黄金八年"，这个阶段不仅需要培养孩子的安全感、幽默感、创造力、语言能力、书写能力，还要关注孩子的性格养成、培养孩子抽象思维及独立思考的能力。

除了亲情的陪伴，走进大自然、开始阅读，或许是孩子探索未知领域，完成一步步成长的重要途径。相信这套简洁易懂、文图并茂的轻科普，能让孩子投入地自主阅读；并将父母解放出来，一边静静地坐在一旁休息，一边欣喜地看着孩子享受读书的样子，共同回味读书的美好。

编　者